华夏万卷

宋徽宗毛笔

瘦金体

单字突破

入门

华夏万卷 香矢车菊 编

CnS 湖南美术出版社
PUBLISHING & MEDIA

全国百佳图书出版单位

·长沙·

图书在版编目（CIP）数据

宋徽宗毛笔瘦金体入门.单字突破 / 华夏万卷，香矢车菊编. — 长沙：湖南美术出版社，2023.11（2024.7重印）
ISBN 978-7-5746-0163-5

Ⅰ.①宋… Ⅱ.①华… ②香… Ⅲ.①楷书-书法 Ⅳ.①J292.113.3

中国国家版本馆CIP数据核字（2023）第147877号

宋徽宗毛笔瘦金体入门·单字突破

SONG HUIZONG MAOBI SHOUJINTI RUMEN·DANZI TUPO

出 版 人：黄 啸
编 者：华夏万卷 香矢车菊
责任编辑：邹方斌 彭 英
责任校对：王玉蓉 徐 盾
装帧设计：华夏万卷
出版发行：湖南美术出版社
　　　　　（长沙市东二环一段622号）
印 刷：成都新凯江印刷有限公司
开 本：880mm×1230mm 1/16
印 张：4
版 次：2023年11月第1版
印 次：2024年7月第3次印刷
定 价：20.00元

销售咨询：028-85973057　邮编：610000
网 址：http://www.scwj.net
电子邮箱：contact@scwj.net
如有倒装、破损、少页等印装质量问题，请与印刷厂联系斟换。
联系电话：028-85939803

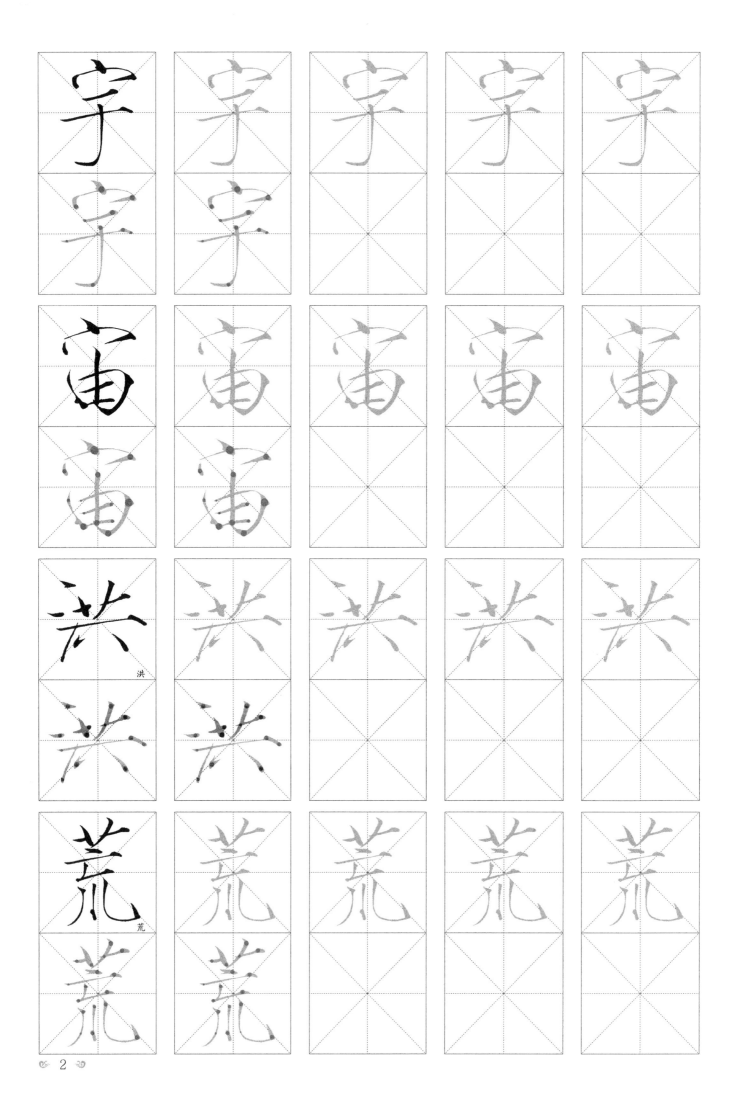

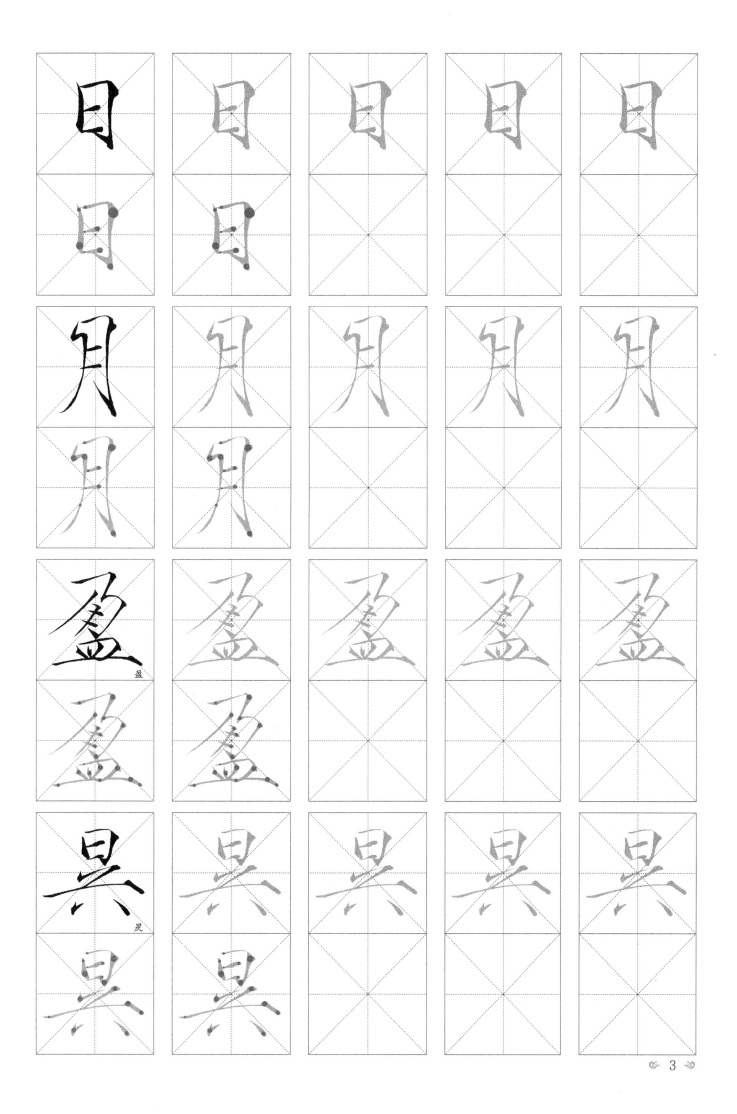

　　宋徽宗赵佶(1082—1135)，北宋皇帝，书画家。在位期间崇奉道教，不问政事，广收古物书画，组织文臣编辑《宣和书谱》《宣和画谱》等。后世评宋徽宗"诸事皆能，独不能为君耳"。

　　宋徽宗虽在政治上无所建树，但在艺术上颇有造诣。宋徽宗擅书画，自创瘦金体。《瑞鹤图》《祥龙石图》《芙蓉锦鸡图》均为其御笔名作，画上的御制诗文以瘦金体书就。《千字文》是宋徽宗于崇宁三年(1104)所书，为宋徽宗传世瘦金体墨迹中存字最多的一件作品，是临习瘦金体的经典法帖之一。

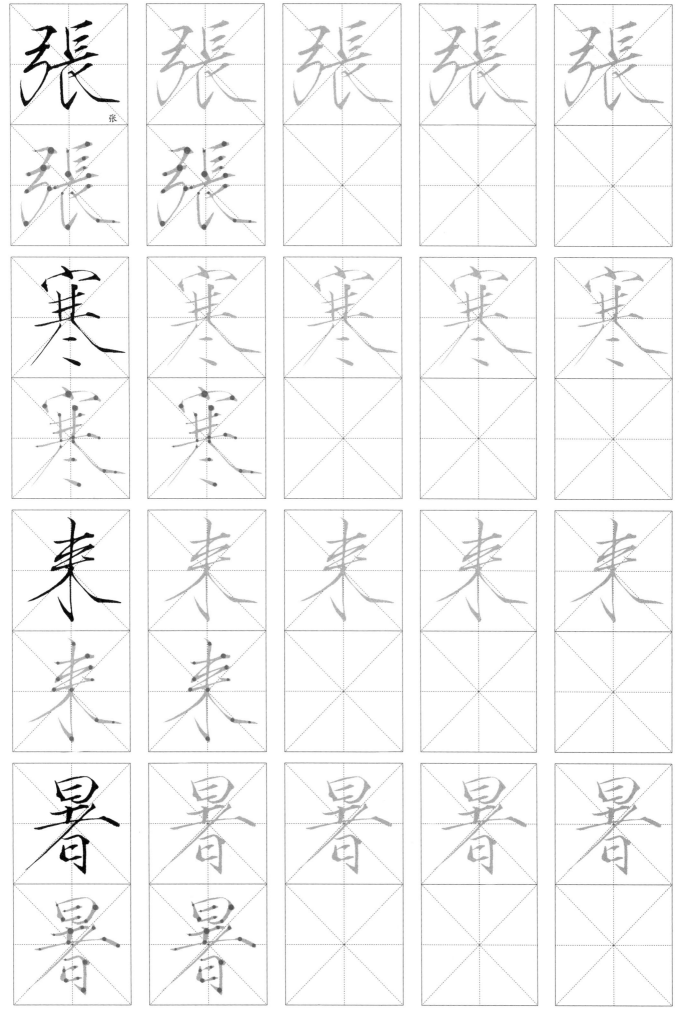

張

寒

来

暑

往

秋

收

冬

藏 閏 餘 成

空谷足音　在空寂的山谷里听到人的脚步声。(语本《庄子·徐无鬼》:"夫逃虚空者……闻人足音跫然而喜矣。")比喻难得的音信、言论或事物。

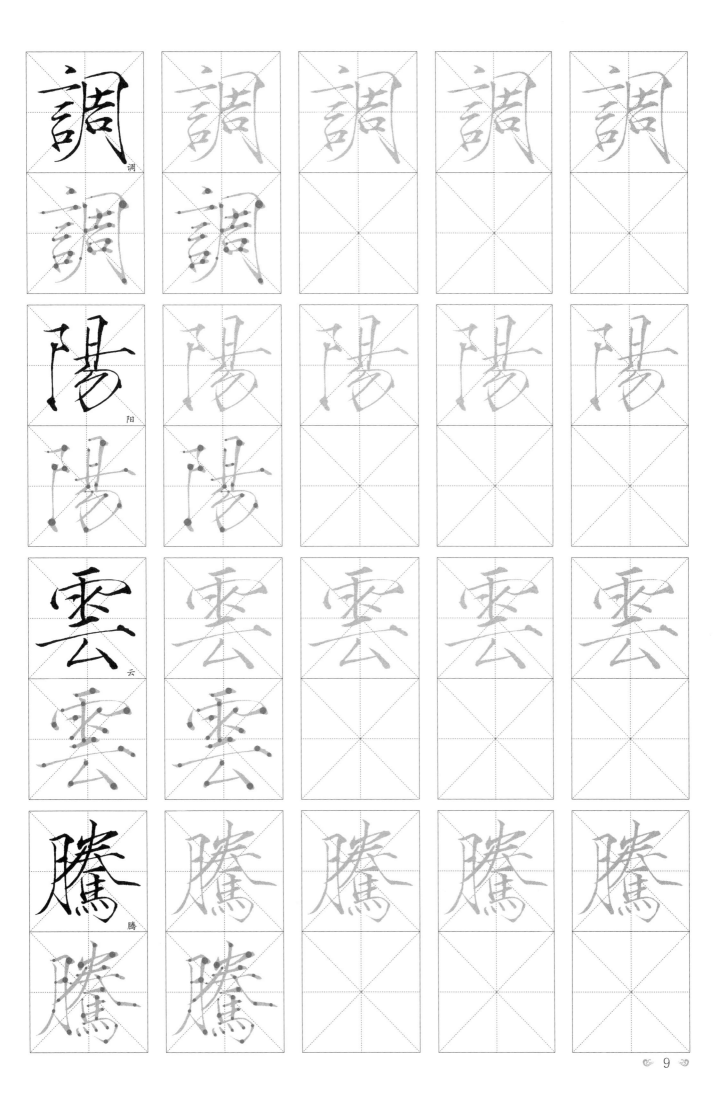

調

陽

雲

騰

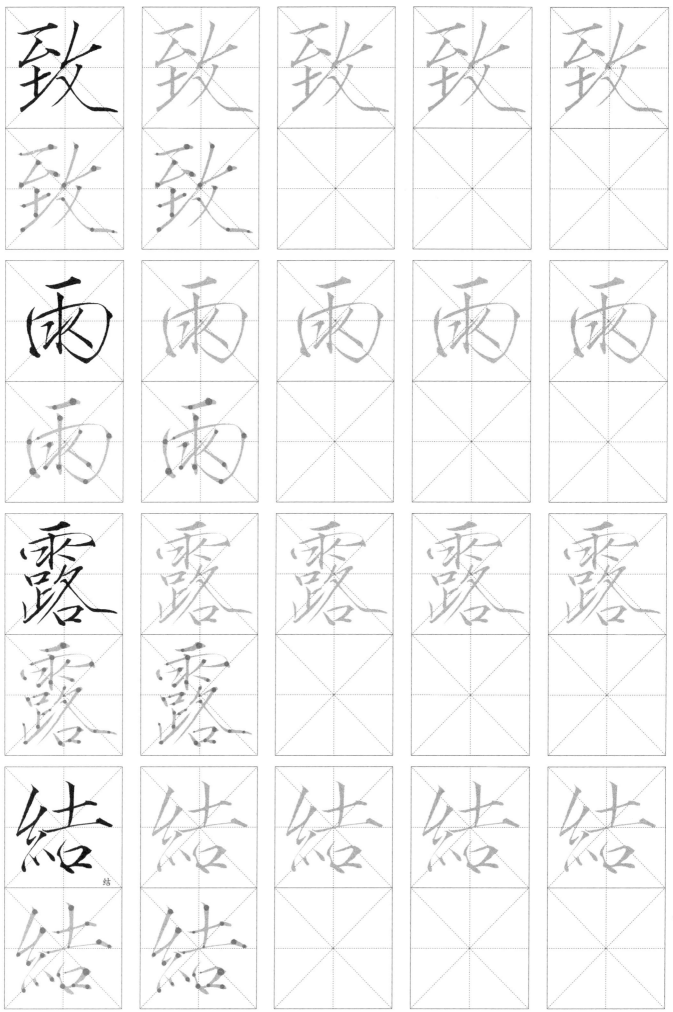

致

雨

露

结

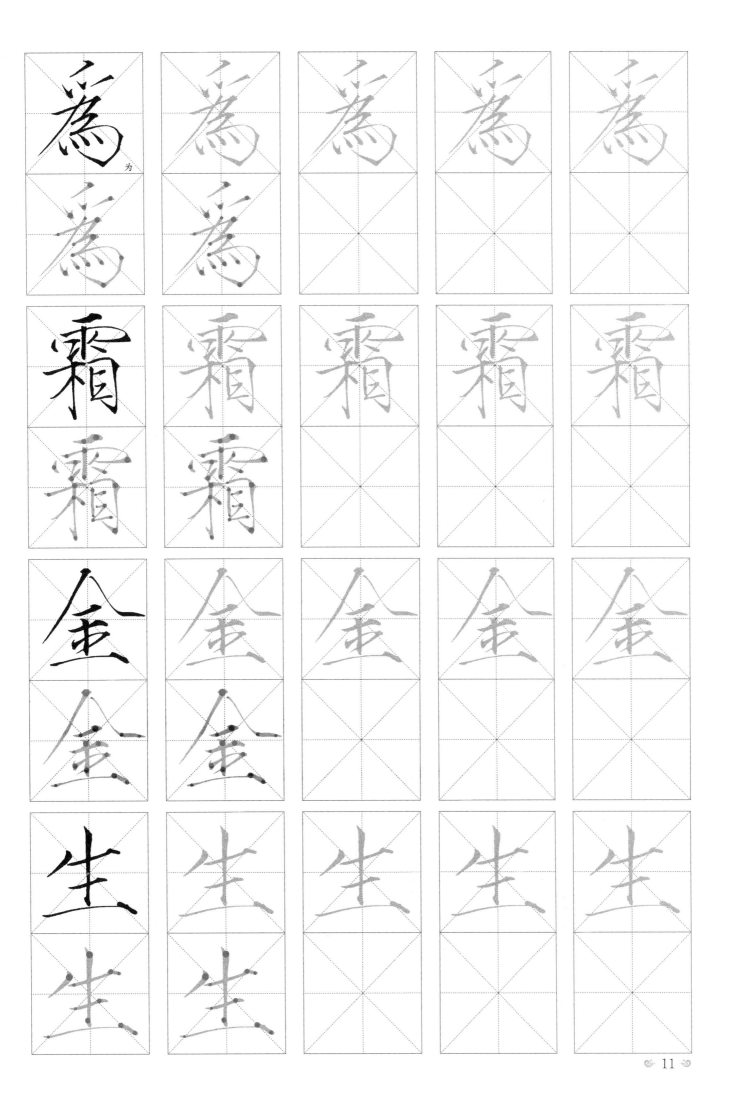

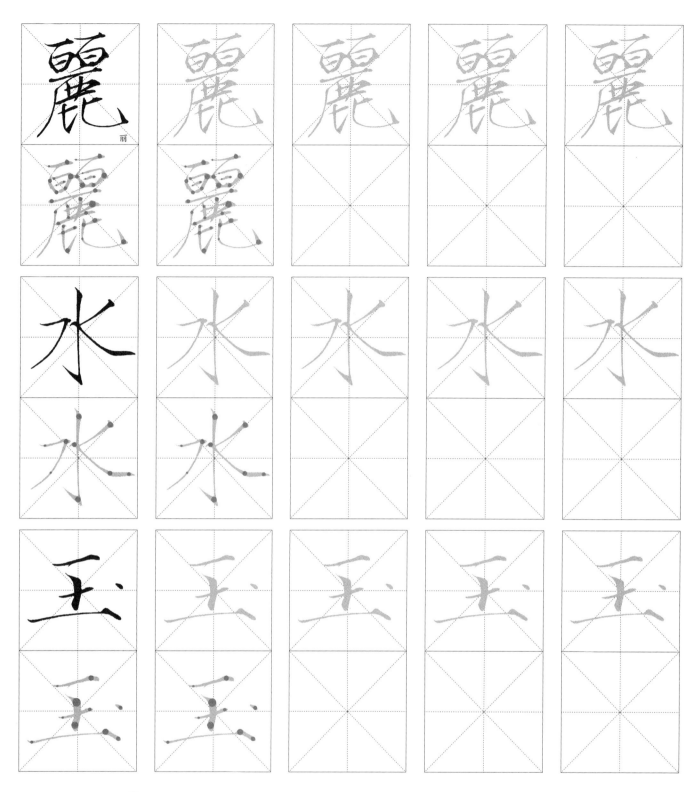

华星秋月　像星星那样闪闪发光,如秋月那样清澈明朗。形容文章写得非常出色。出自唐代杜甫《同元使君春陵行》:"两章对秋月,一字偕华星。"

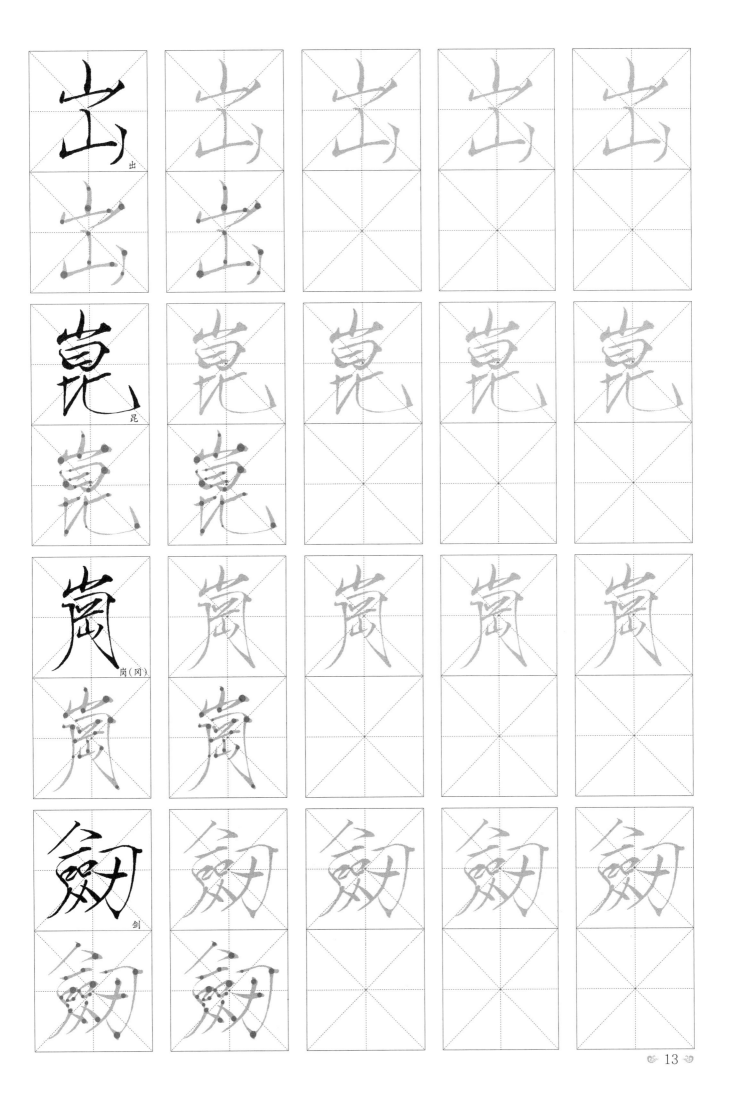

出

昆

岗（冈）

剑

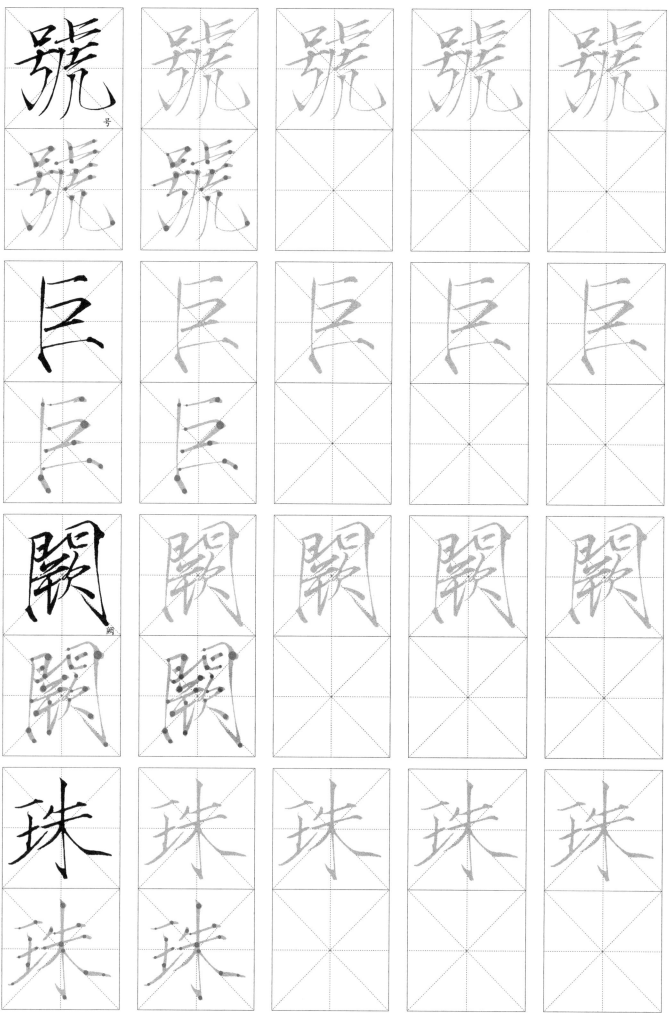

称

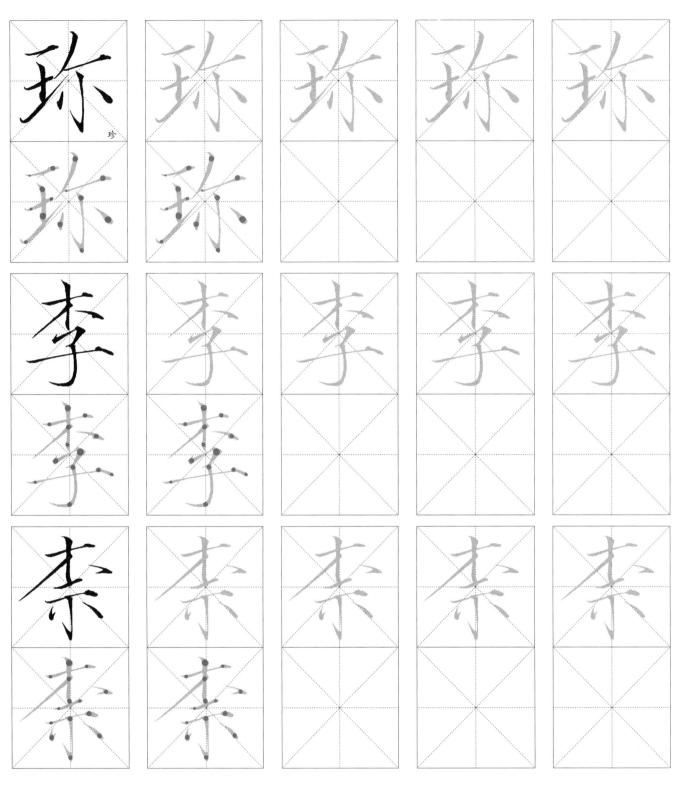

　　万古长青　永远像春天的草木一样欣欣向荣。亦作"万古长春"。比喻崇高的精神或深厚的友谊永远不会消失。

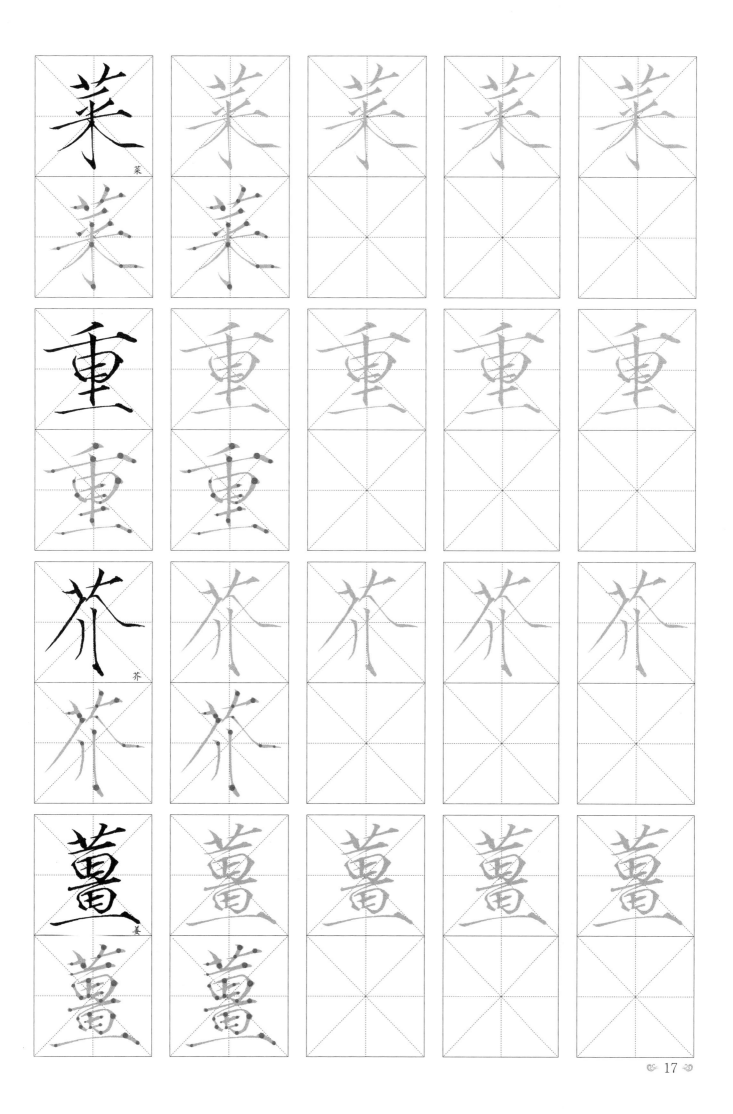

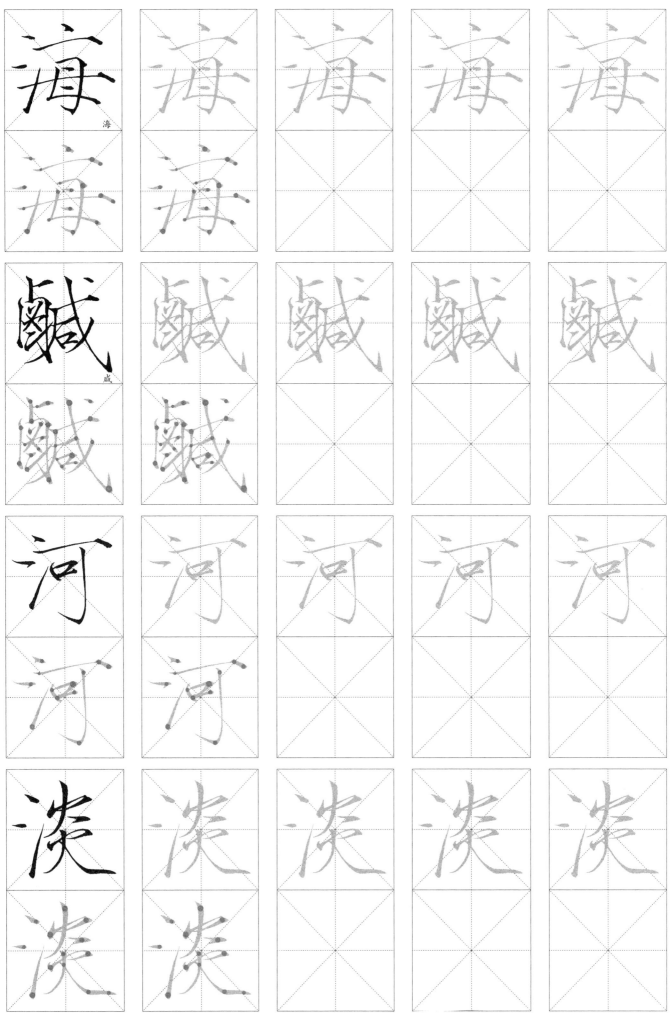

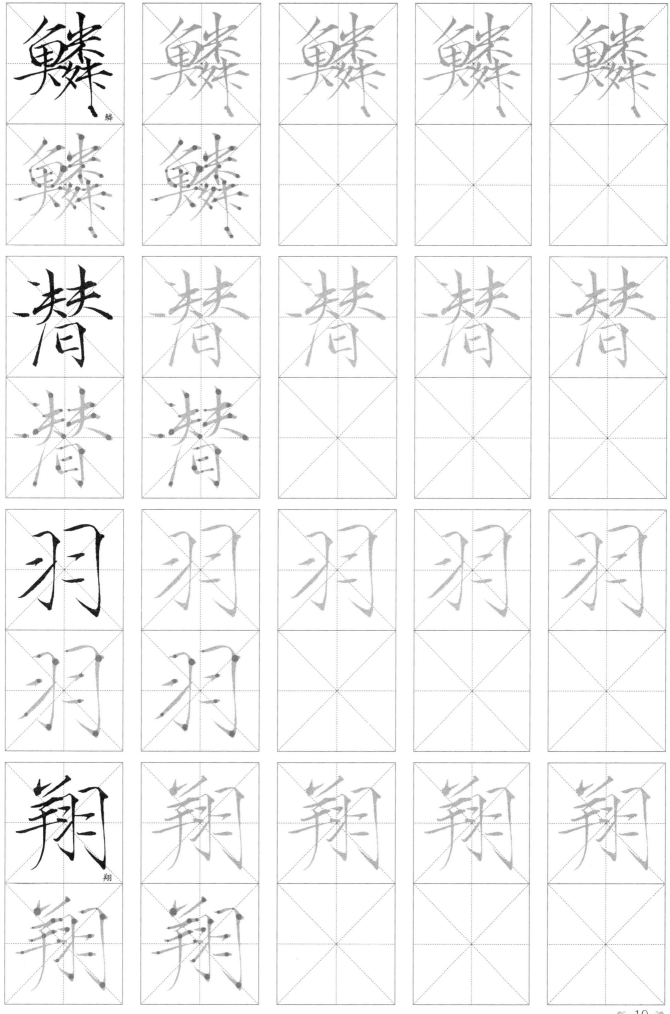

鳞

替

羽

翔

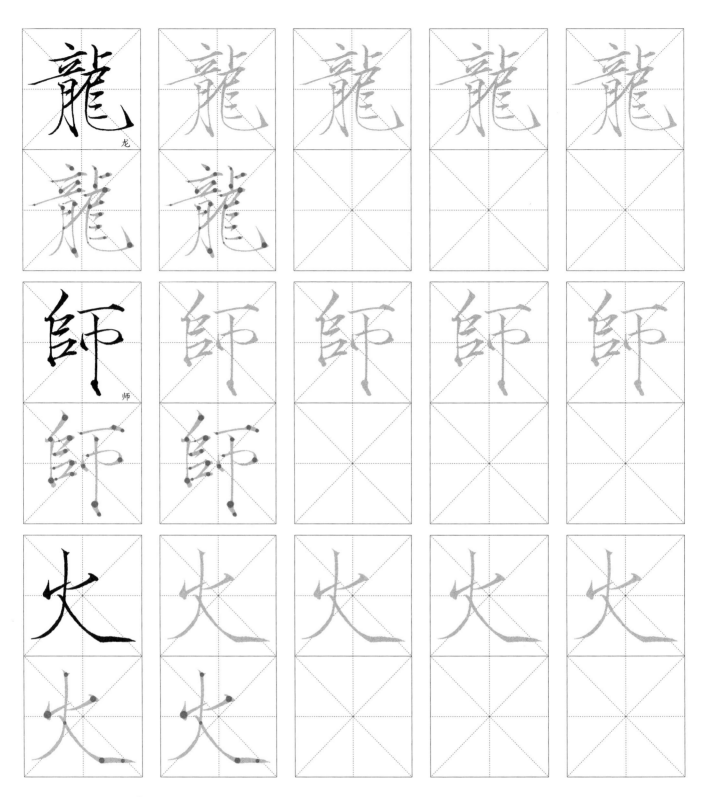

瘦金体知识

　　瘦金体是宋徽宗以褚遂良和薛稷、薛曜兄弟的书法为基础，杂糅各家，取众人所长创造出的个性强烈、别具一格的书体，属于楷书，但又自成体系。其线条细瘦，转折处刚硬，有明显藏锋、露锋等运转提顿的痕迹，与传统书体有极大区别。

　　瘦金体原为"瘦筋体"，为显示对御书的尊重，特以"金"易"筋"。"金"喻此书体，能显其如黄金般的华贵之气，亦显其锋芒毕露的刚硬锐利之感。

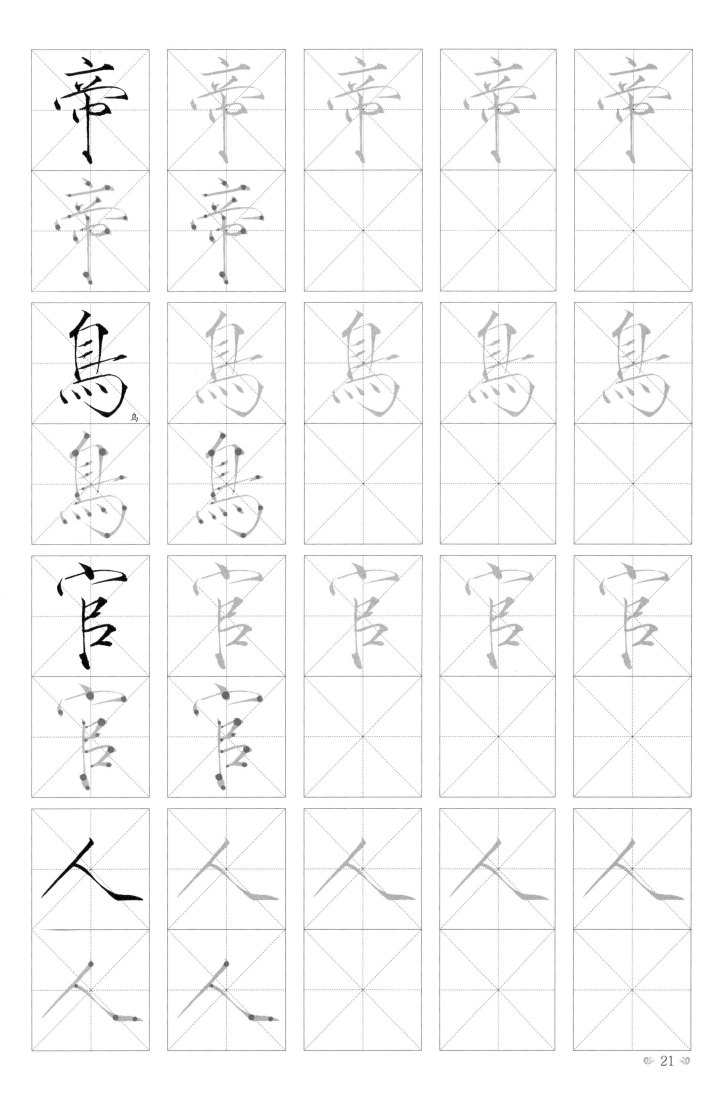

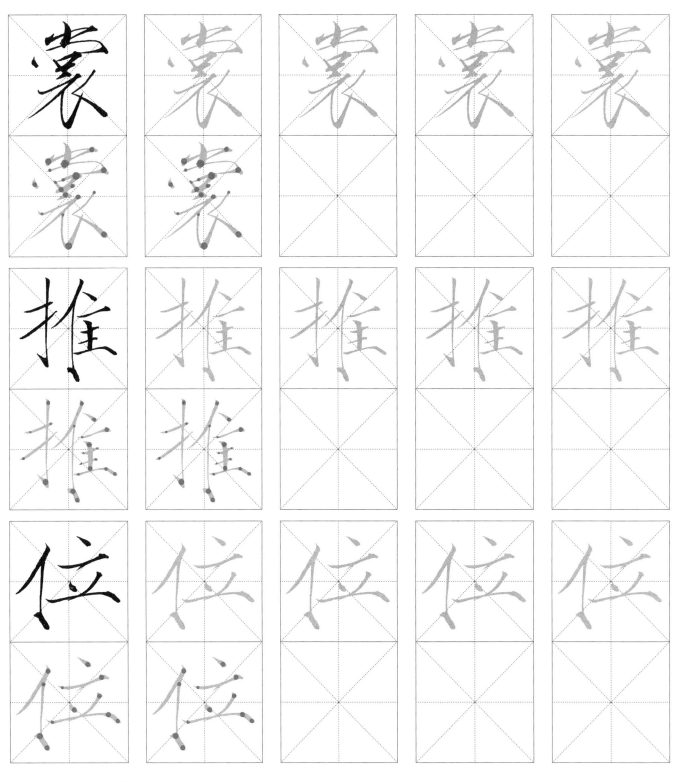

笔墨横姿 指书画诗文美妙多姿。

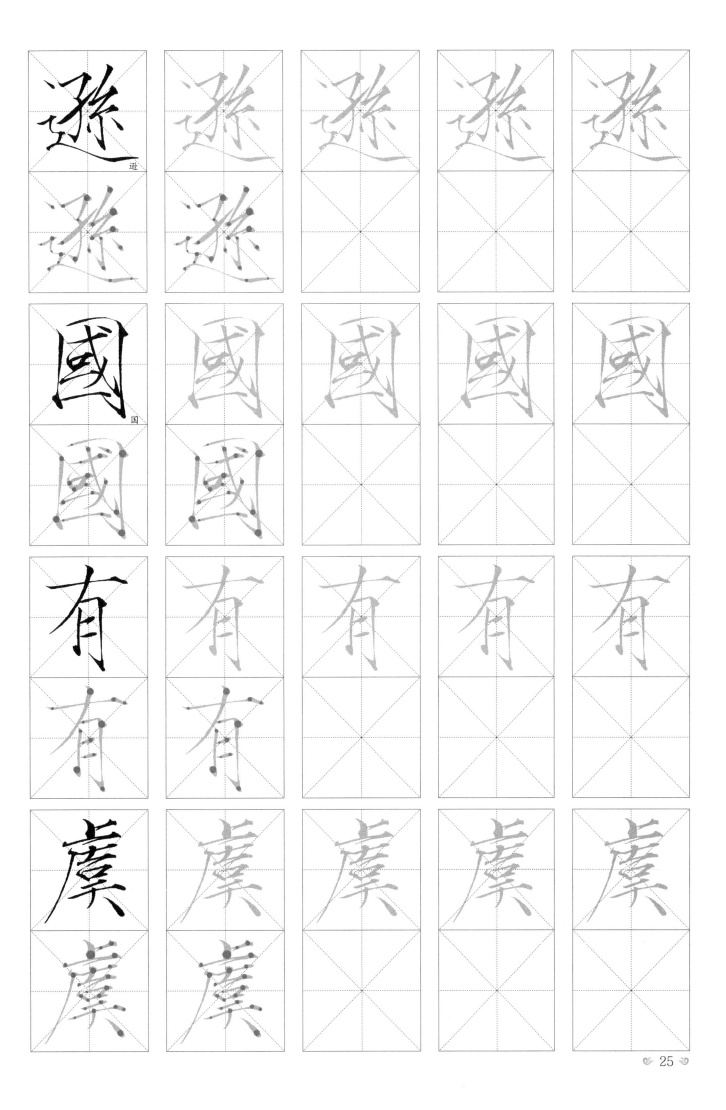

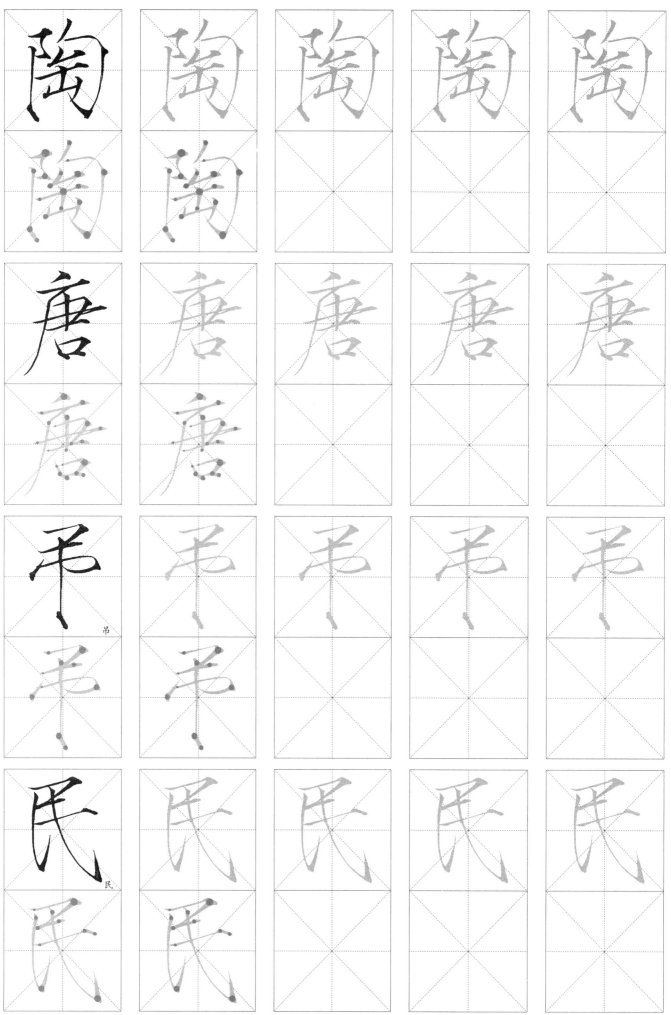

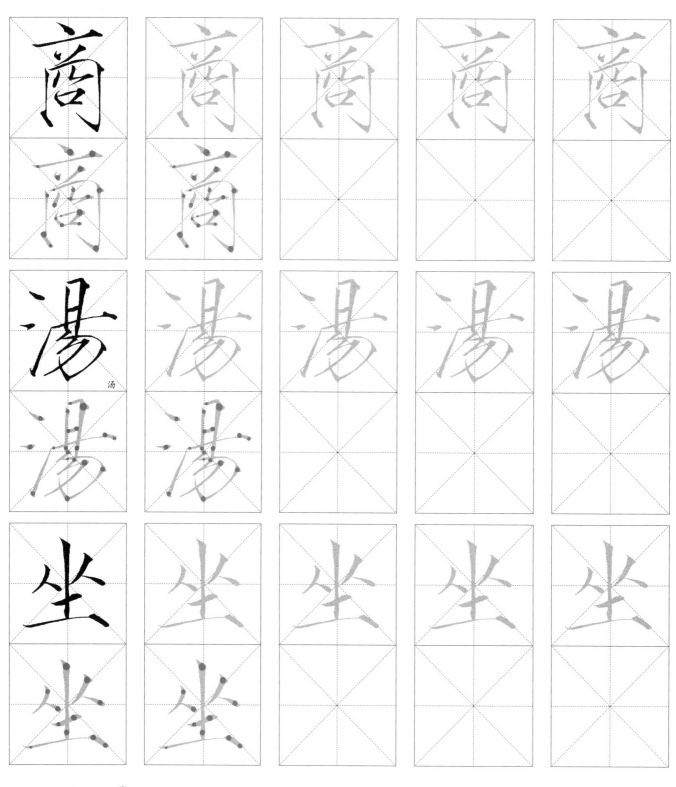

吉光凤羽　吉光与凤凰的毛羽。比喻艺术珍品。吉光：传说中的神兽。

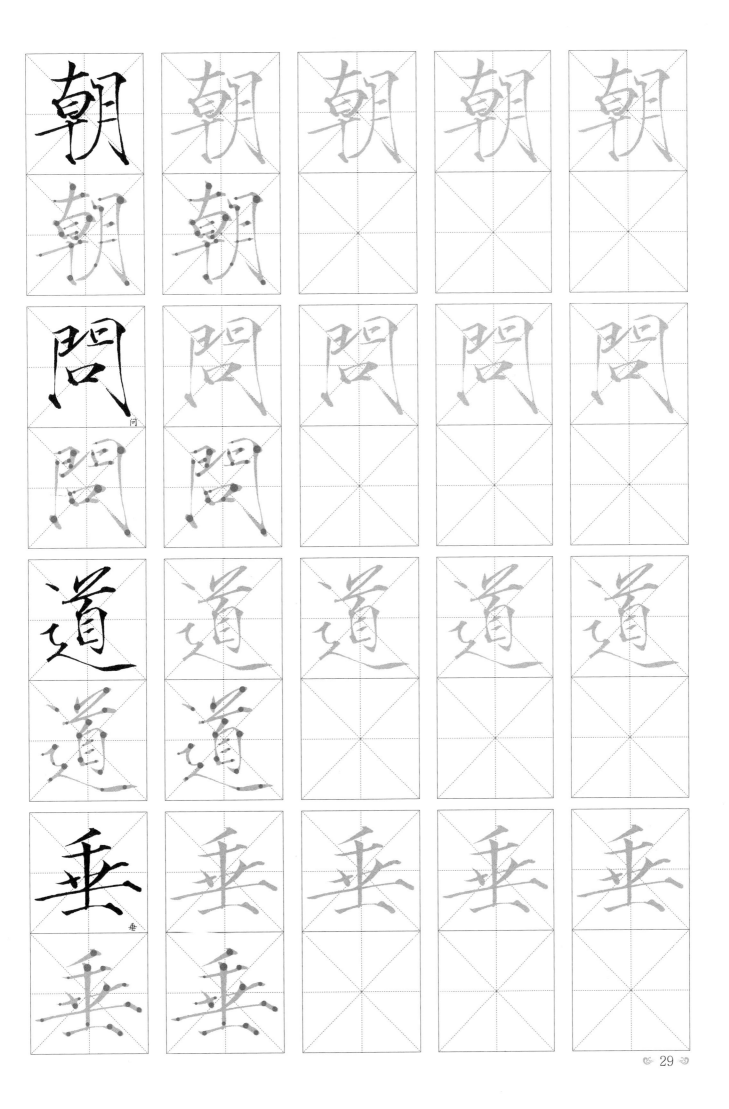

朝 問 道 垂

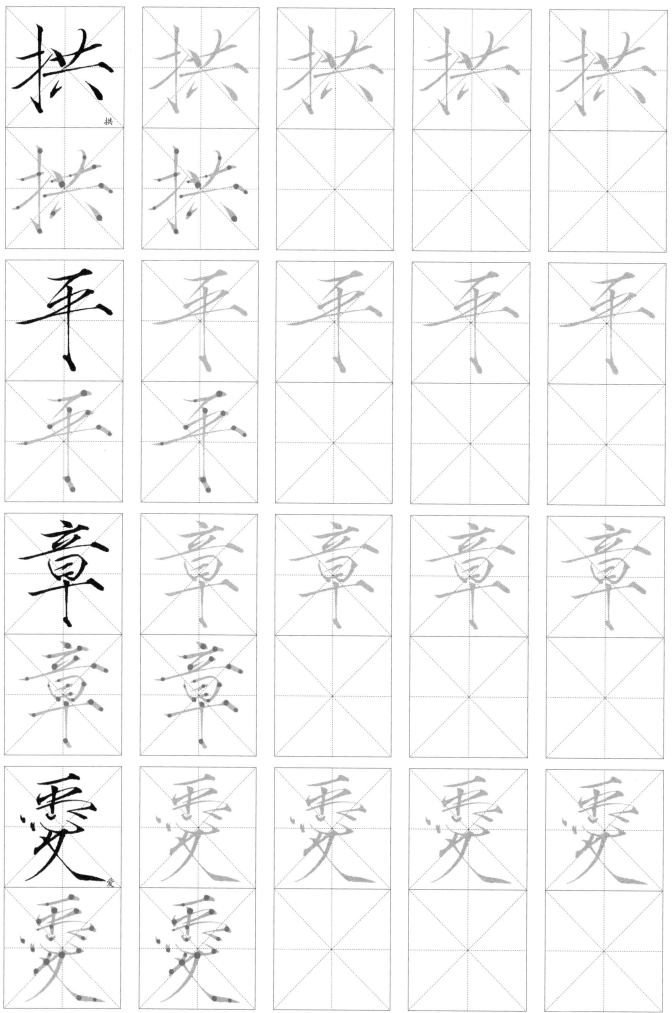

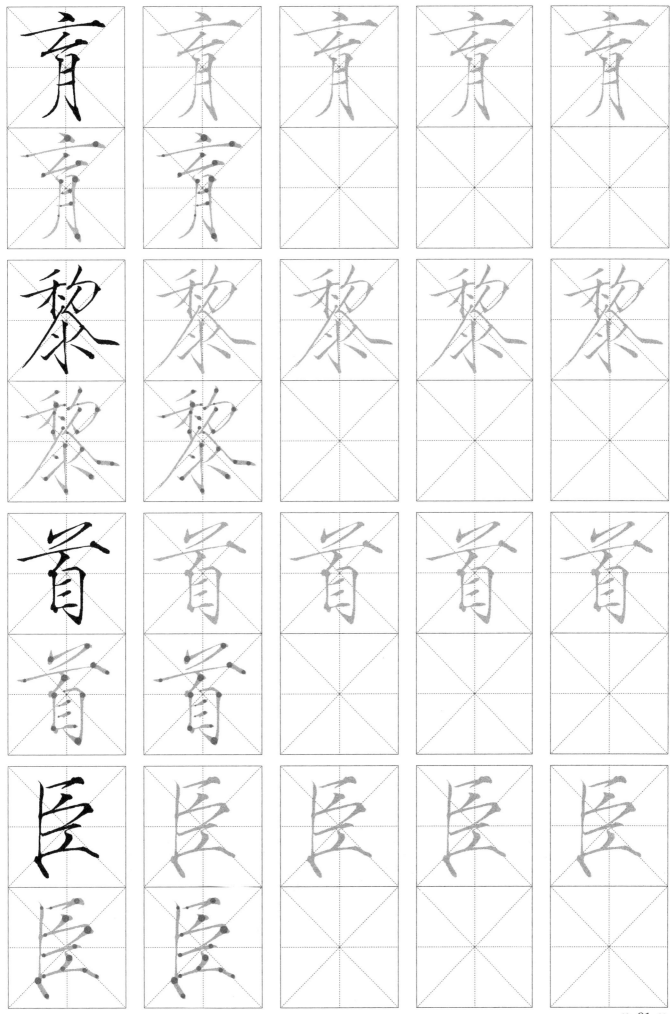

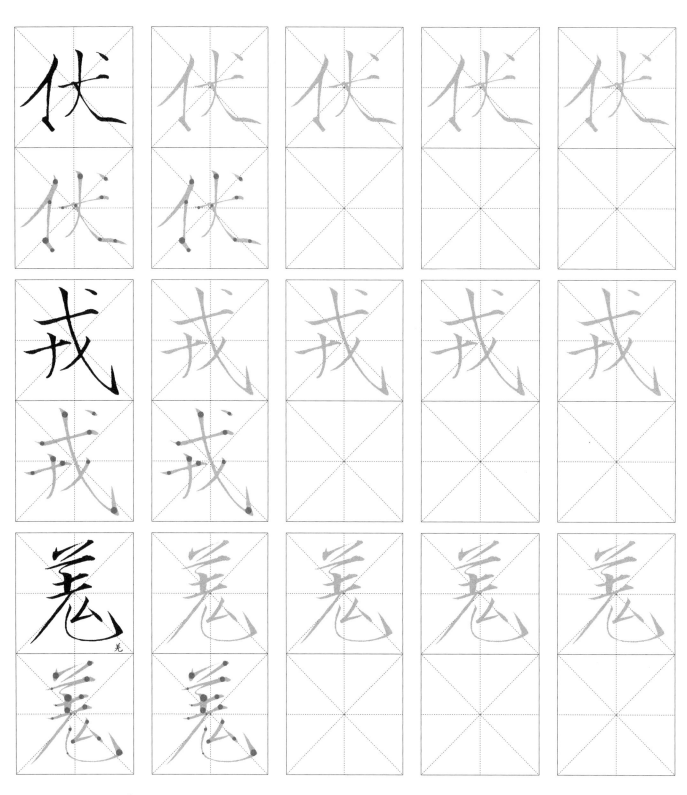

尺璧寸阴　日影移动一寸的时间价值比直径一尺的璧玉还要珍贵。指时间可贵。寸阴:日影移动一寸的时间,指极短的时间。

遝

邇 还

壹

體 体

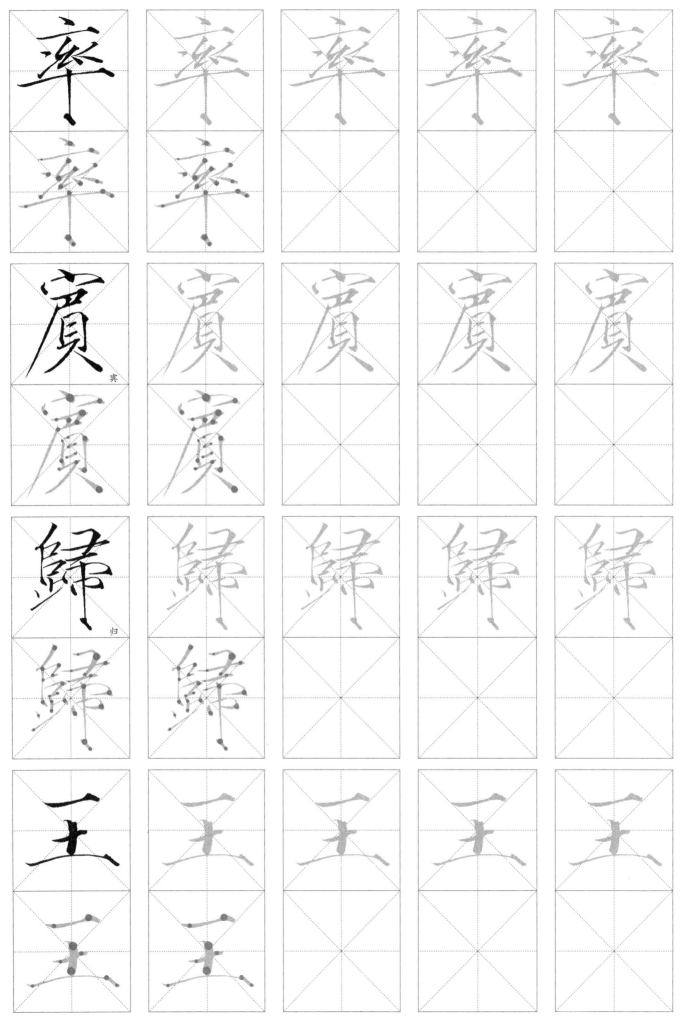

率

賓 宾

歸 归

王

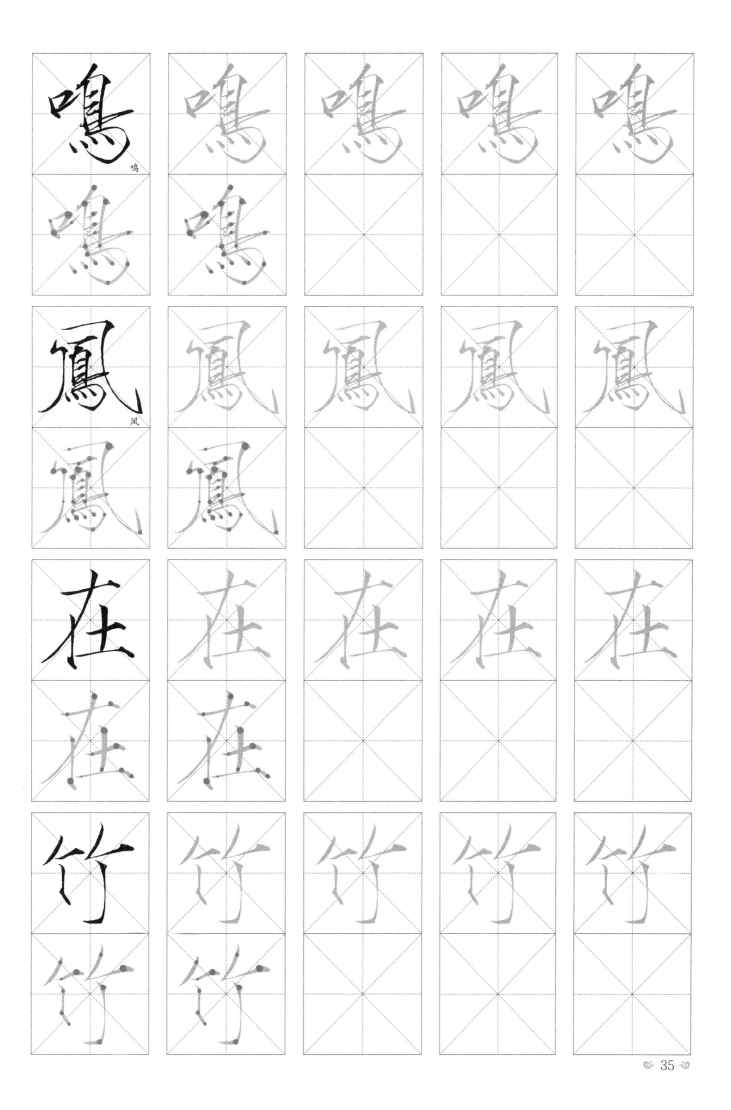

鳴

鳳

在

竹

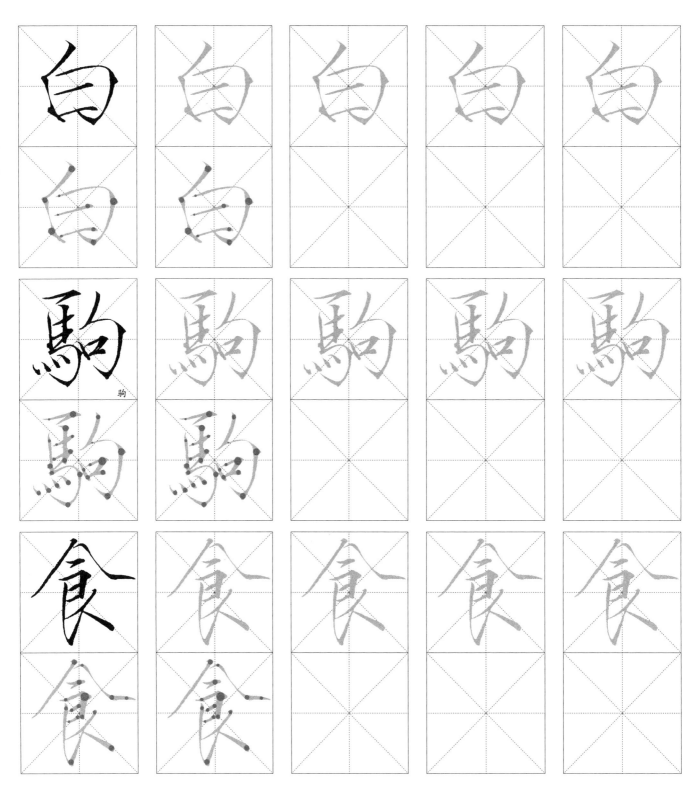

白　白　白　白　白

駒　駒　駒　駒　駒
驹

食　食　食　食　食

瘦金体知识

　　传统书法美学讲究藏锋、外柔内刚、绵中裹铁，但瘦金体却反其道而行之，以剑走偏锋、锋芒毕露、铁画银钩为美。

　　瘦金体的线条虽瘦却不失其肉，其笔画瘦削劲挺，长横、长竖收笔时有明显的提顿痕迹，撇捺出笔锋利而不飘，转折处侧锋明显，如屈铁断金。结字则中宫稍紧，体势偏长，整体遒丽洒脱。

　　宋徽宗的瘦金体在历代都获得了极高的评价。元赵孟𫖯评曰："所谓瘦金体，天骨遒美，逸趣蔼然。"元末明初文学家陶宗仪在《书史会要》中则云："意度天成，非可以陈迹求也。"

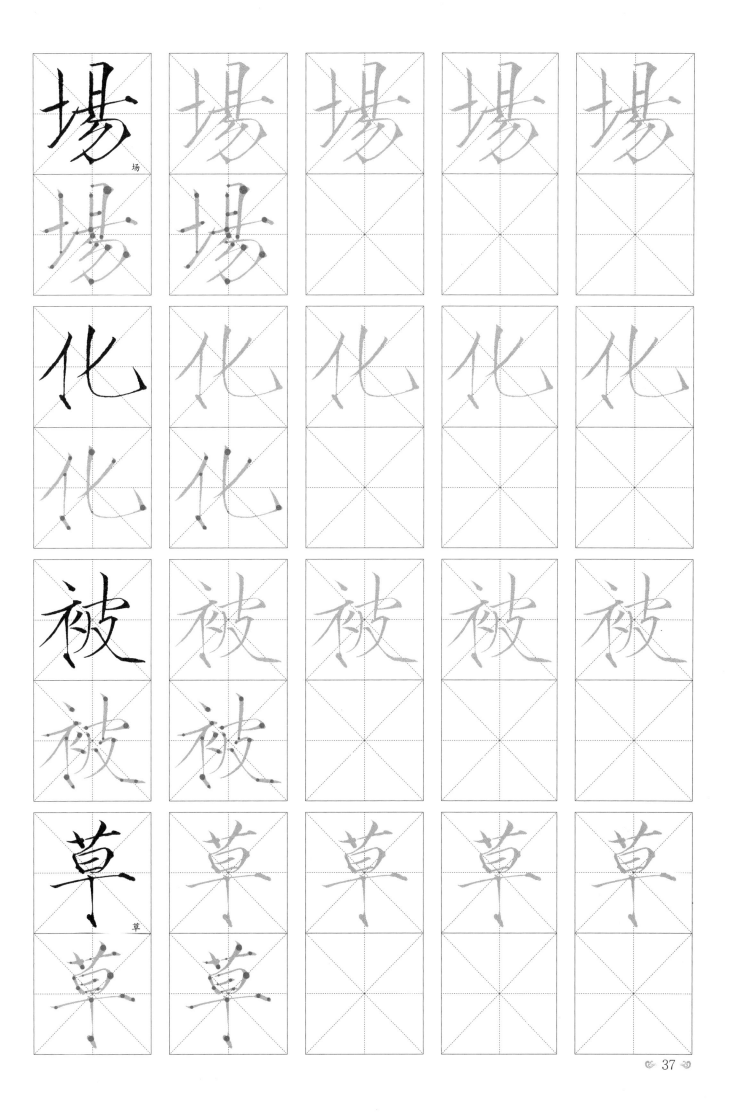

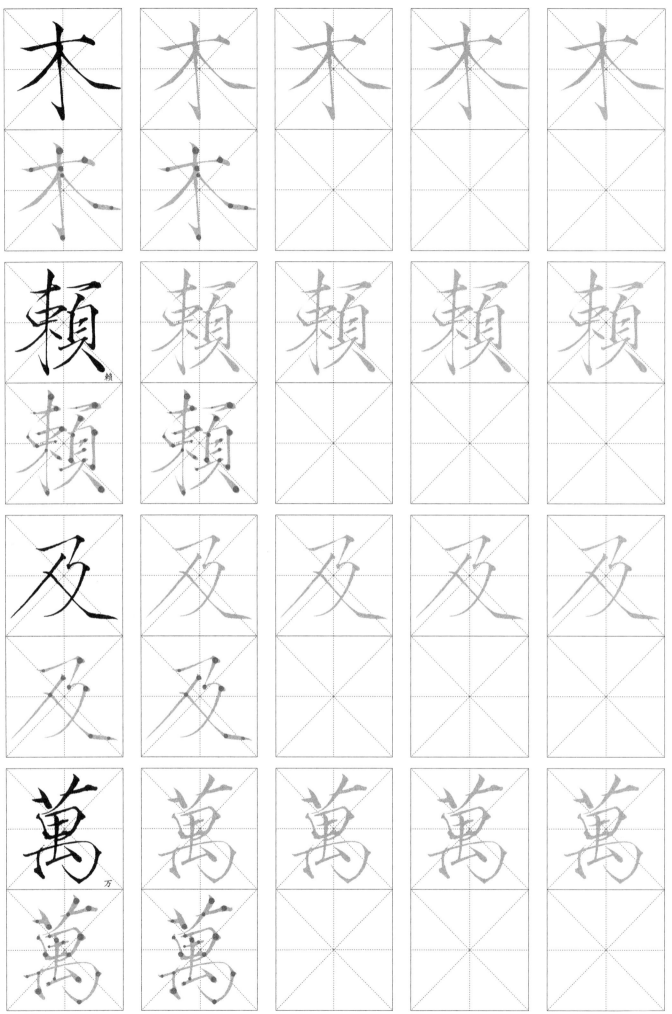

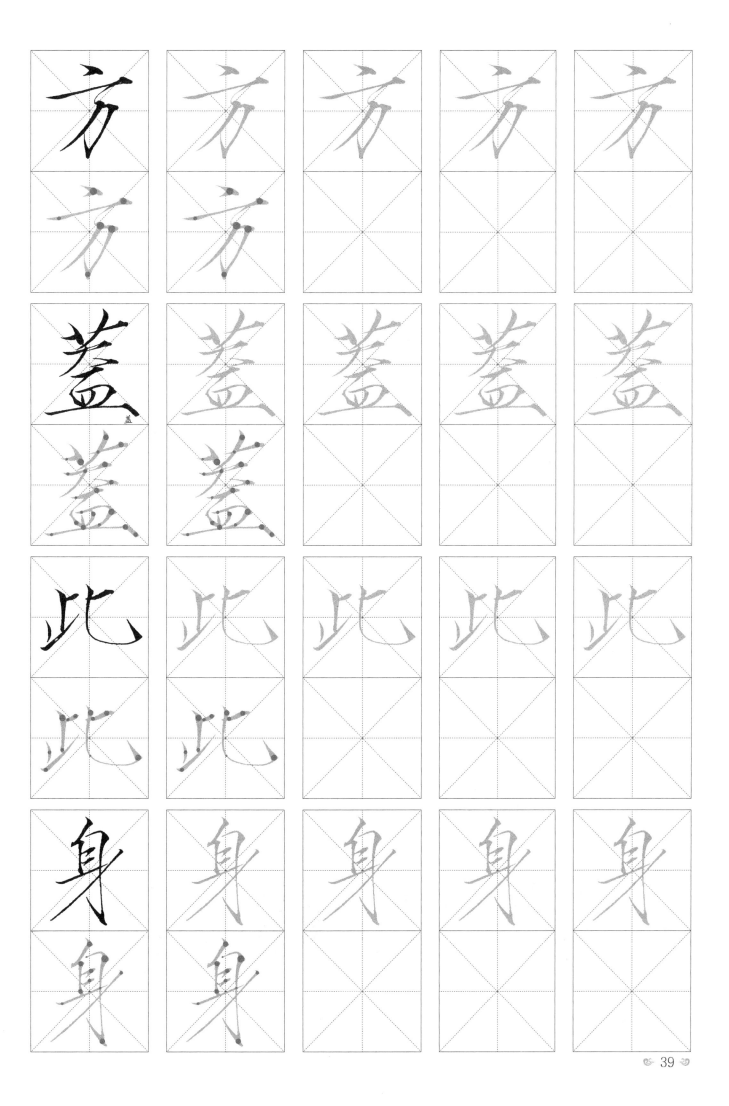

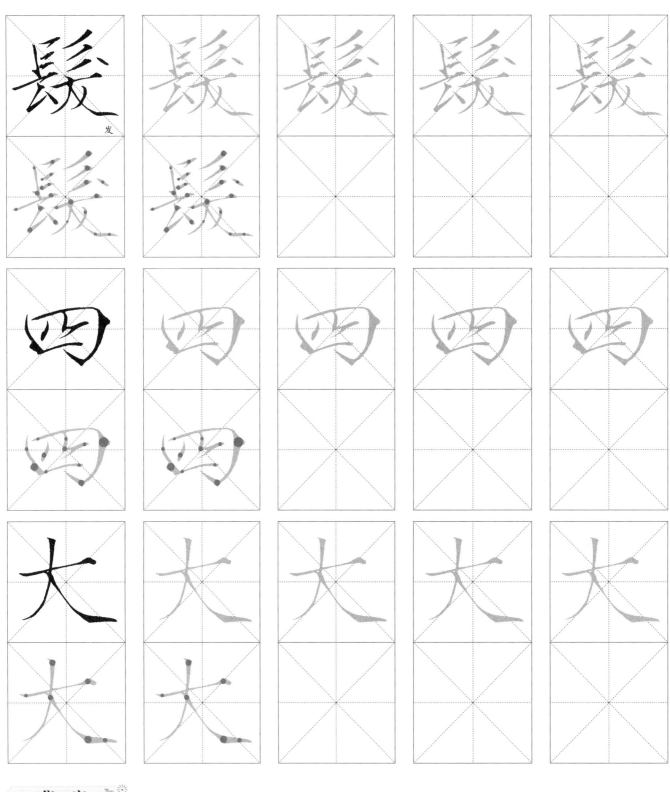

髟
发

四

大

集　字

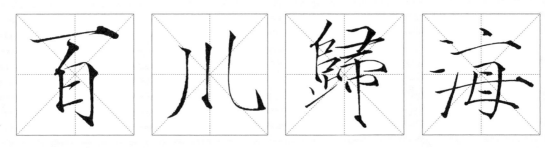

百川归海　条条江河流入大海。比喻大势所趋或众望所归,也比喻许多分散的事物汇集到一个地方。

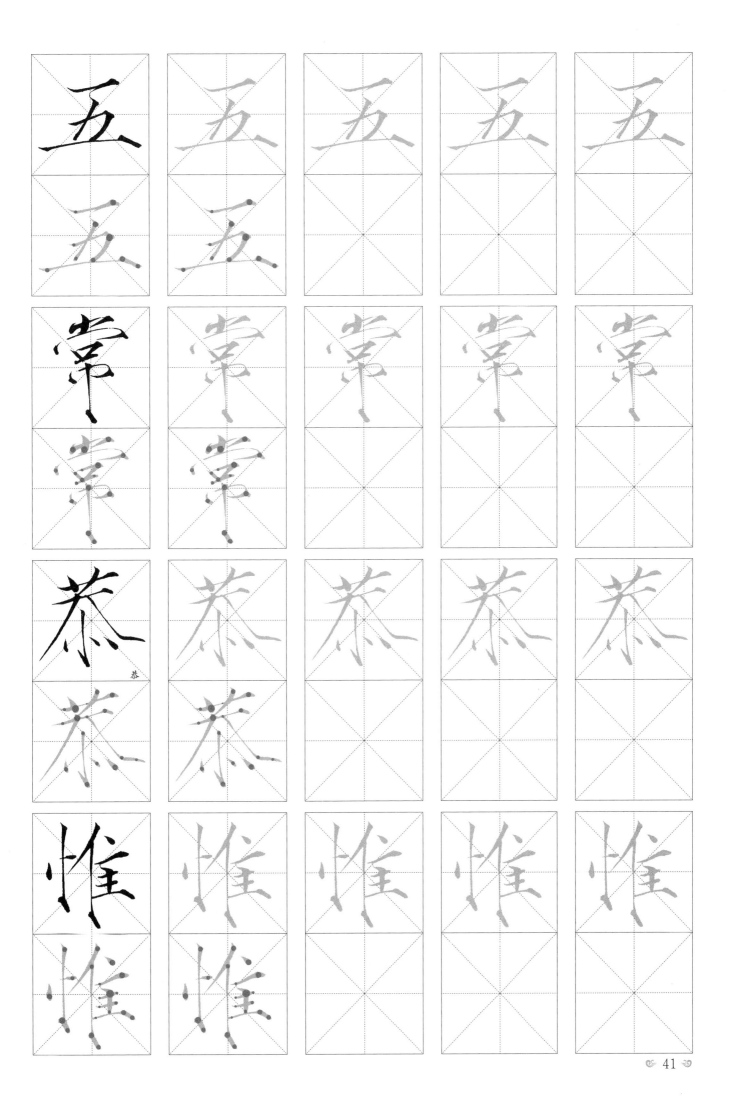

五　五　五　五　五

常　常　常　常　常

恭　恭　恭　恭　恭

惟　惟　惟　惟　惟

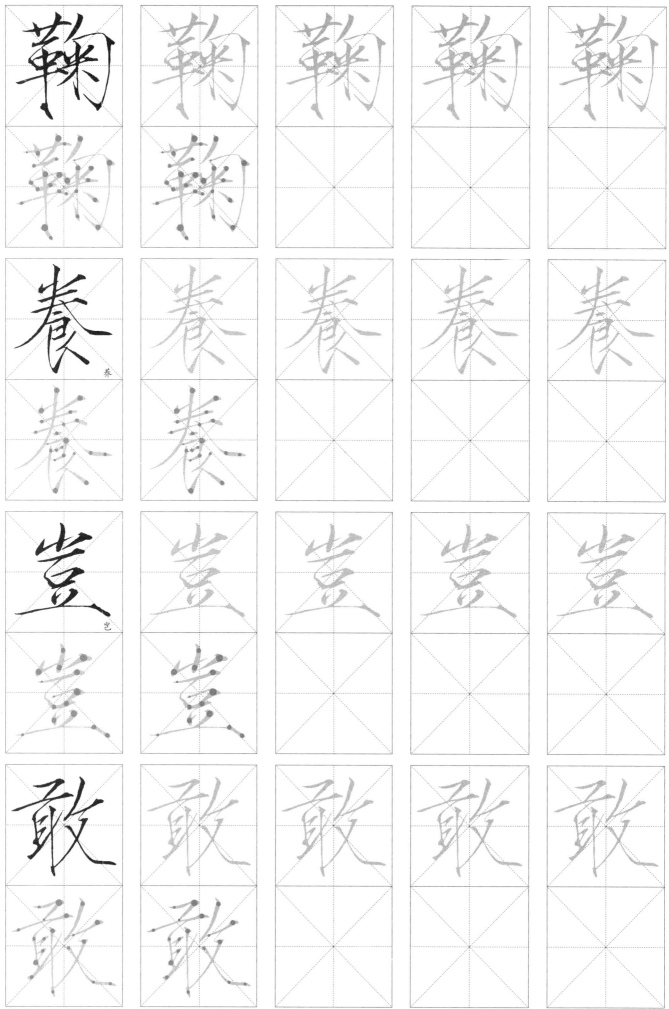

鞠

養

岂

敢

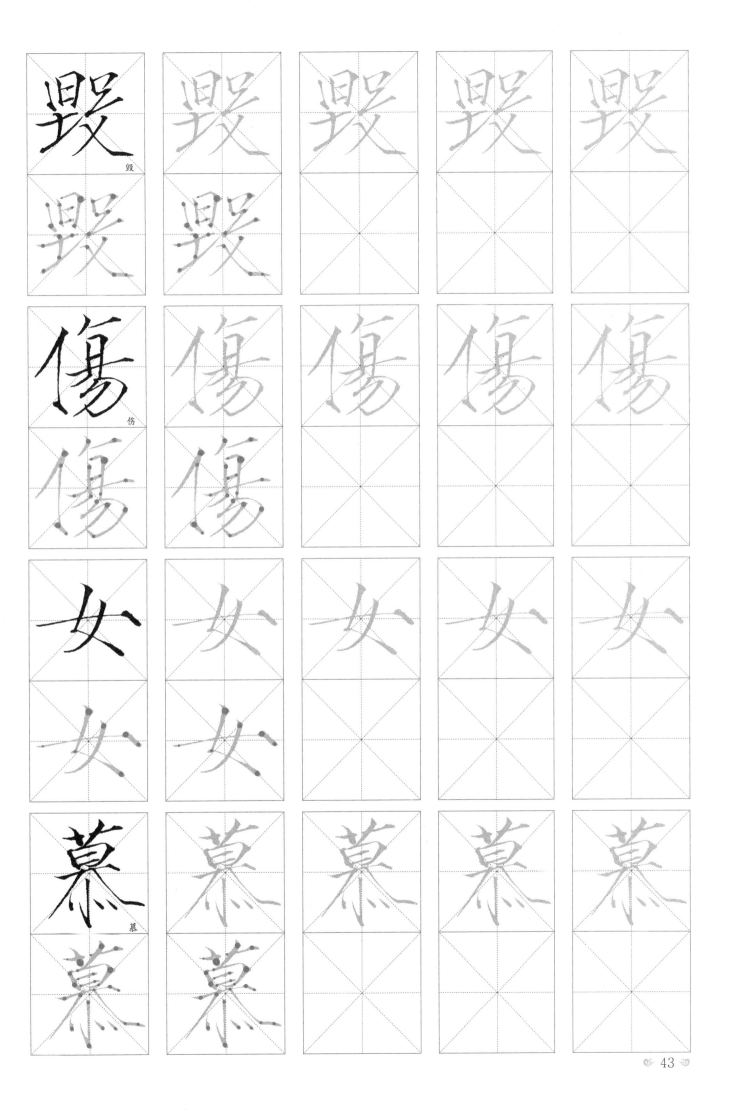

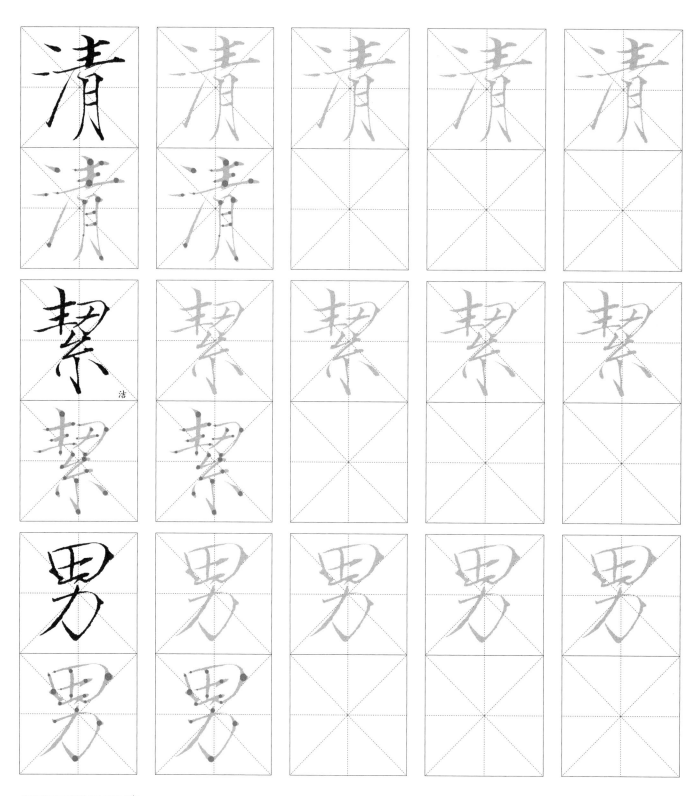

　　用舍行藏　被任用就出仕,不被任用就退隐,是儒家对于出仕退隐的态度。出自《论语·述而》:"用之则行,舍之则藏。"也说"用行舍藏"。

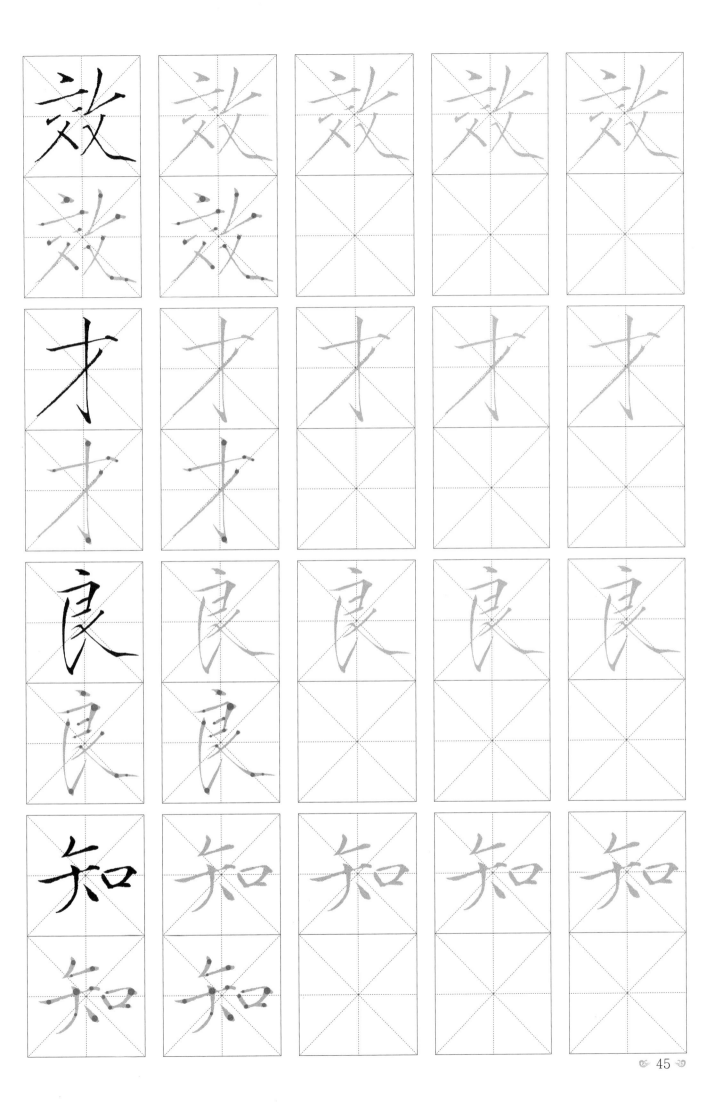

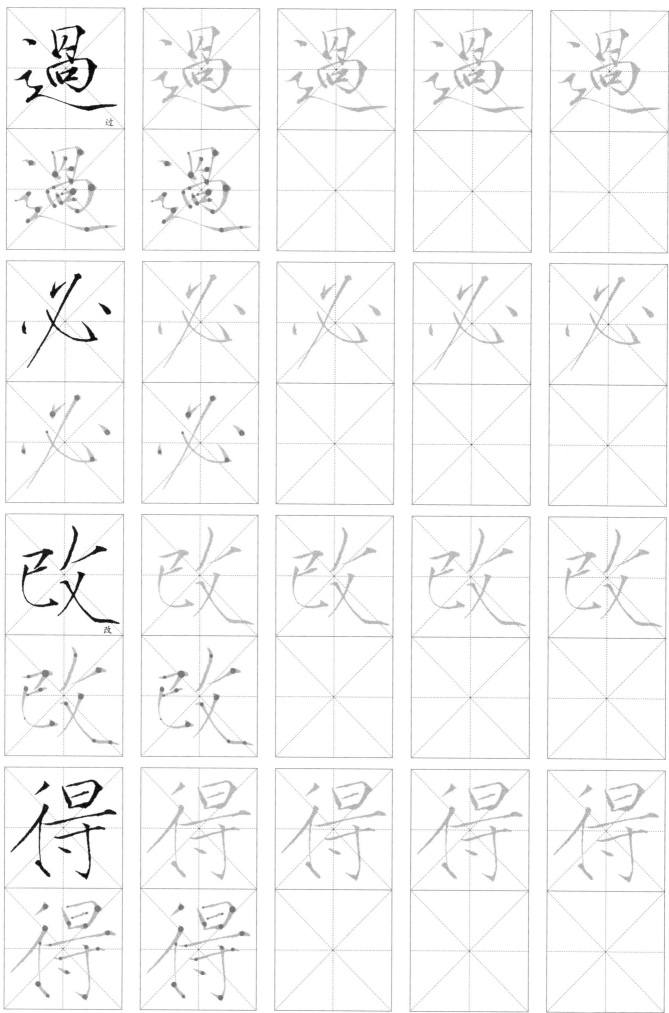

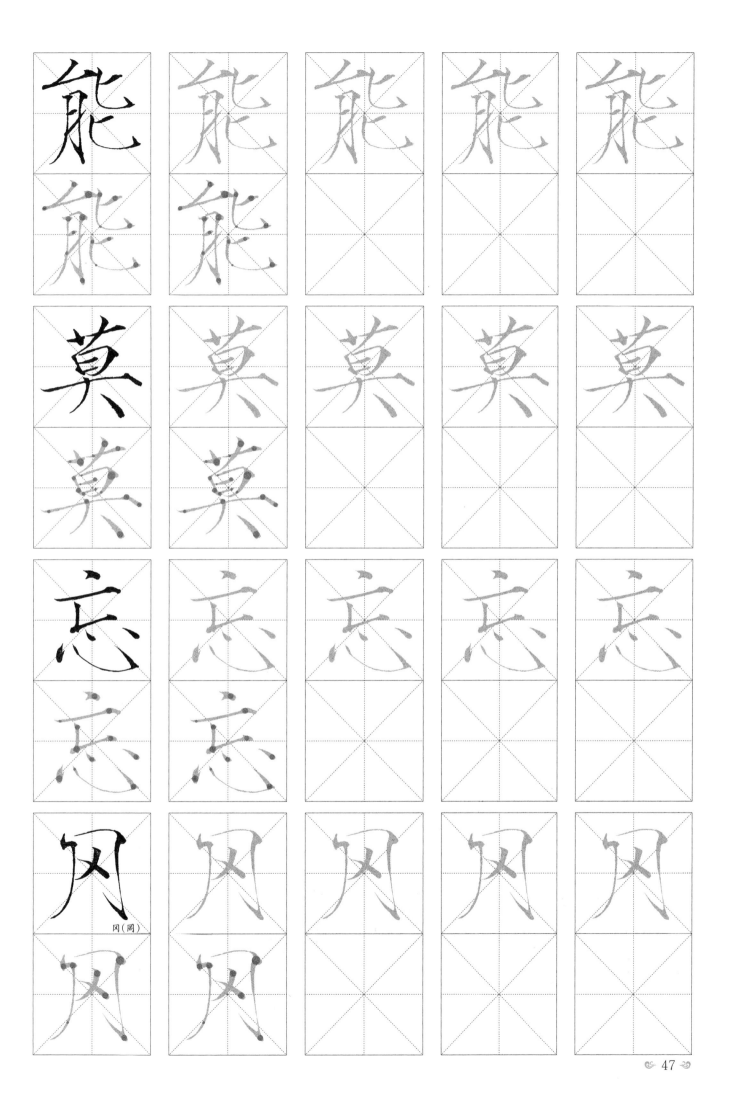

冈（岡）

高谈雅步　指无拘束地谈论,举止文雅。高谈:广博无拘束的谈论。雅步:文雅的举止。

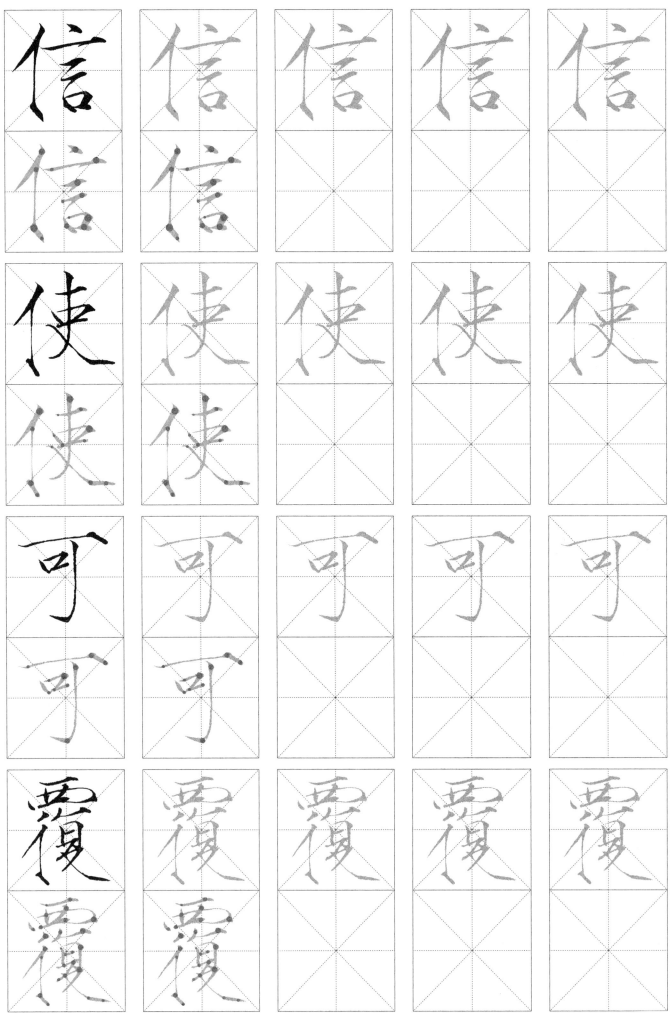

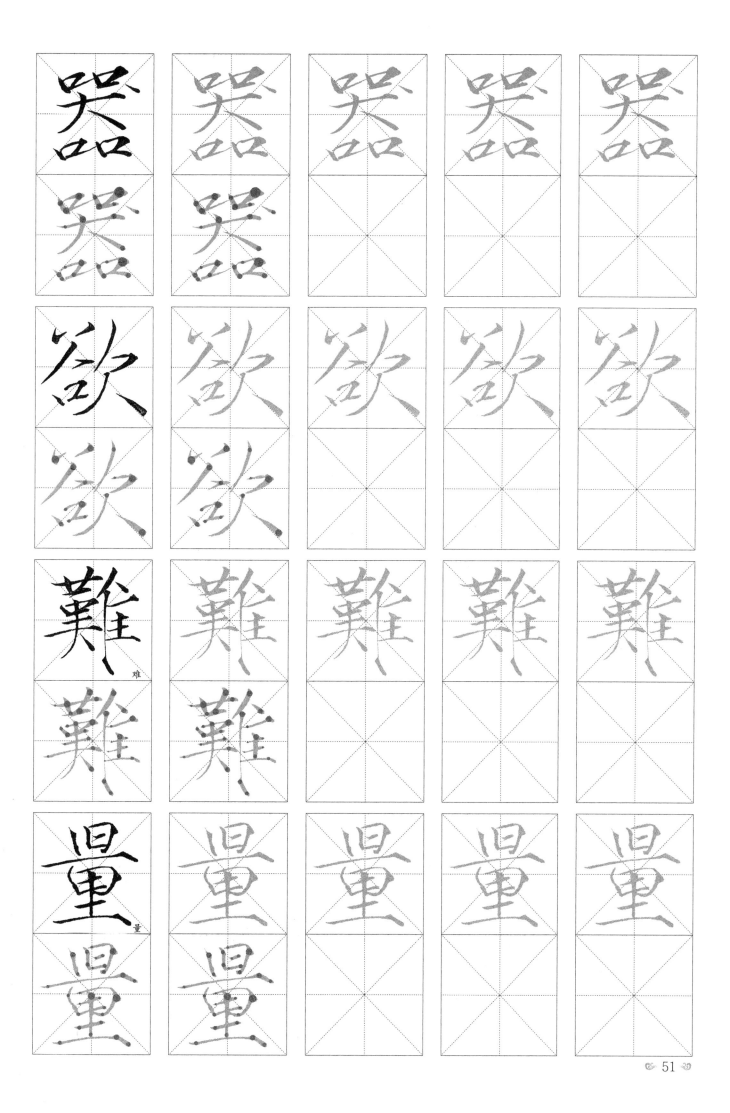

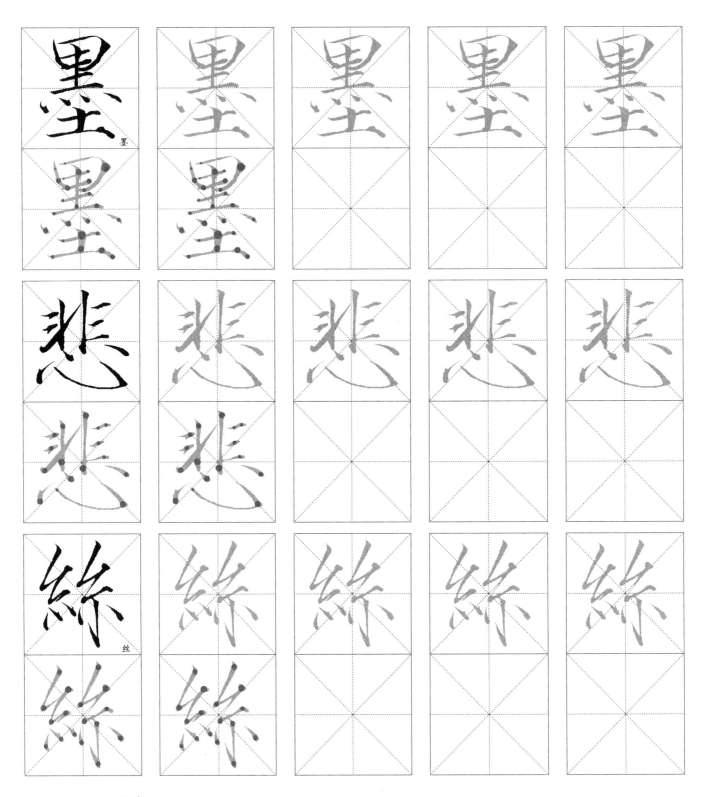

　　要想充分表现瘦金体瘦硬挺拔的特点,选用笔锋长、笔腰富有弹力的毛笔最佳。相传宋徽宗是用长锋狼毫勾线笔创造出瘦金体的。

　　想写好瘦金体,要特别重视基本笔画的练习。长横要露锋下笔,收笔时轻提笔尖,先向左上绕行,再向右下顿笔。长竖形如鹤腿,写法与长横类似。短撇前粗后细,形如匕首。捺画运笔夸张,有凤头、蜂腰、翼羽尾的特征:向右上尖入,迅速按实,形如凤头;转锋向右下行笔,缓慢提尖,形如蜂腰;行至底部时,稍顿笔后爽快提尖,形如翼羽尾。

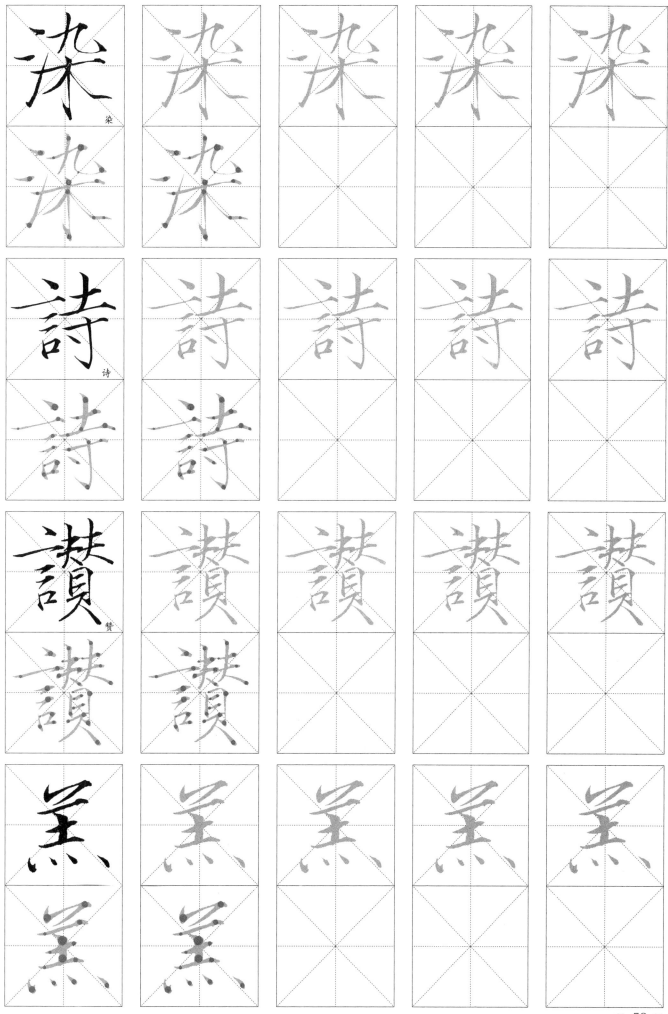

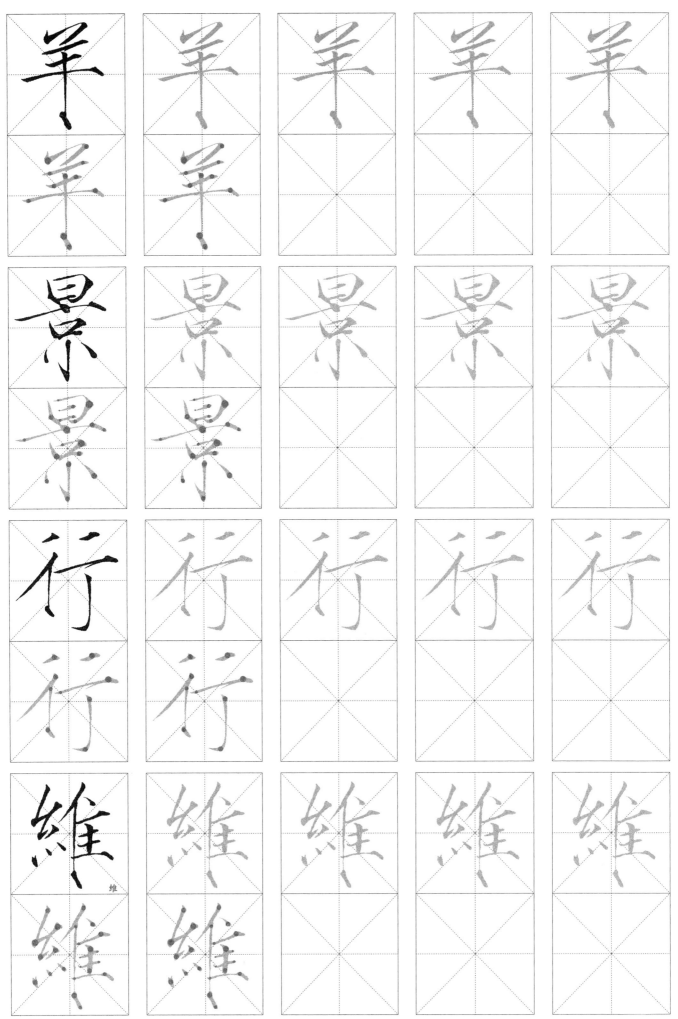

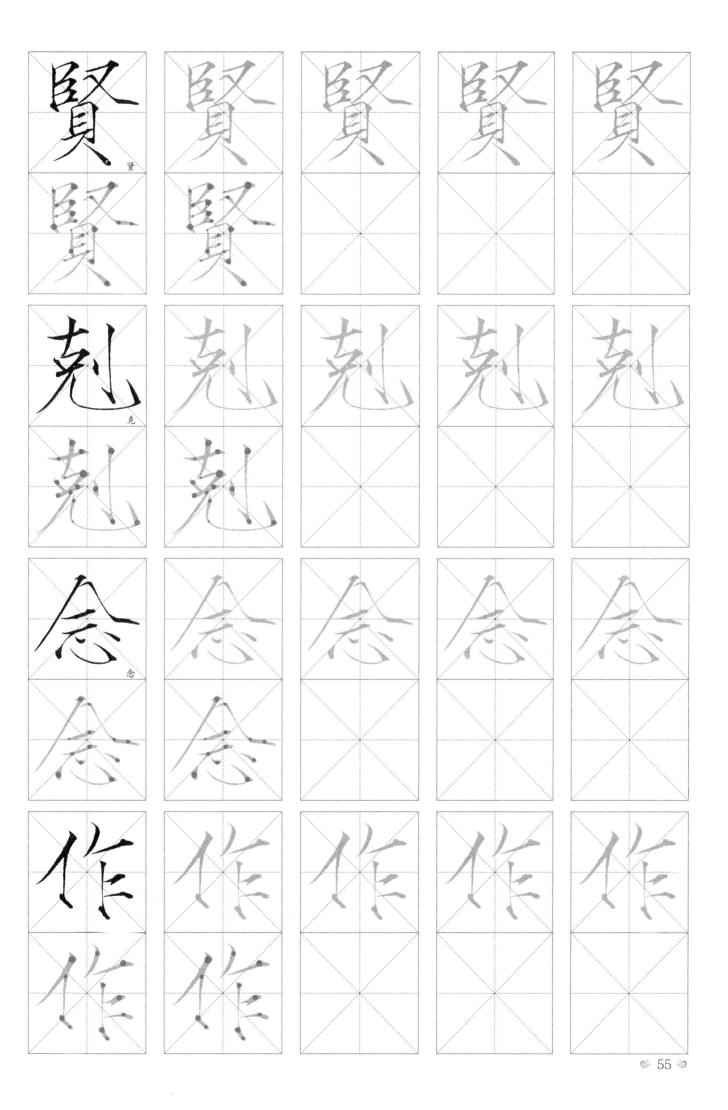

林下神仙　指不问世事、潇洒自在的隐士。林下:指幽僻之境。出自唐代张令问《与杜光庭》:"试问朝中为宰相,何如林下作神仙。"

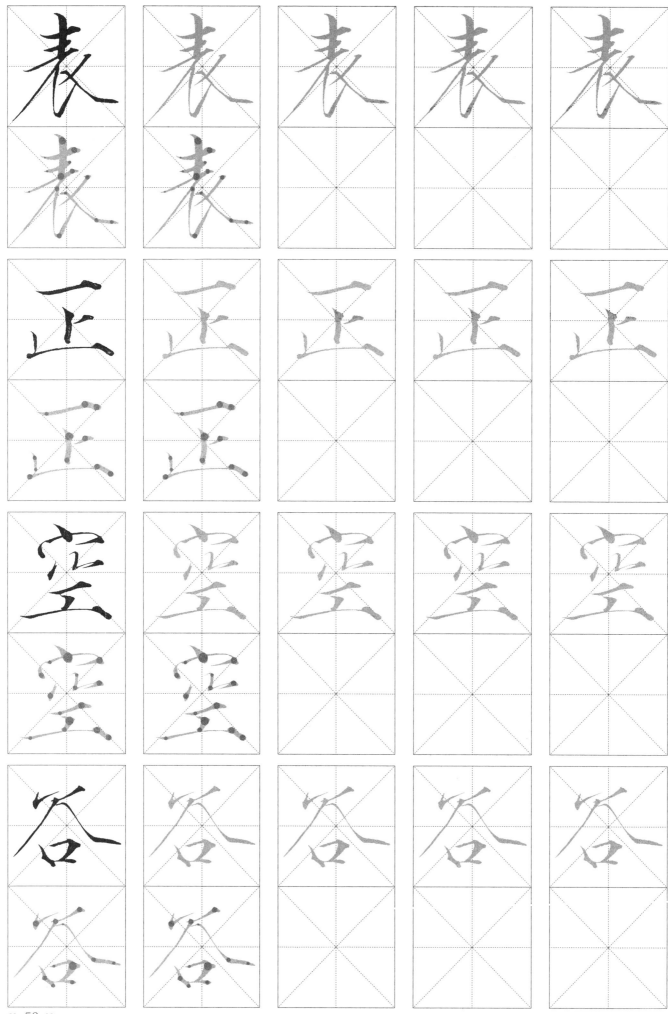

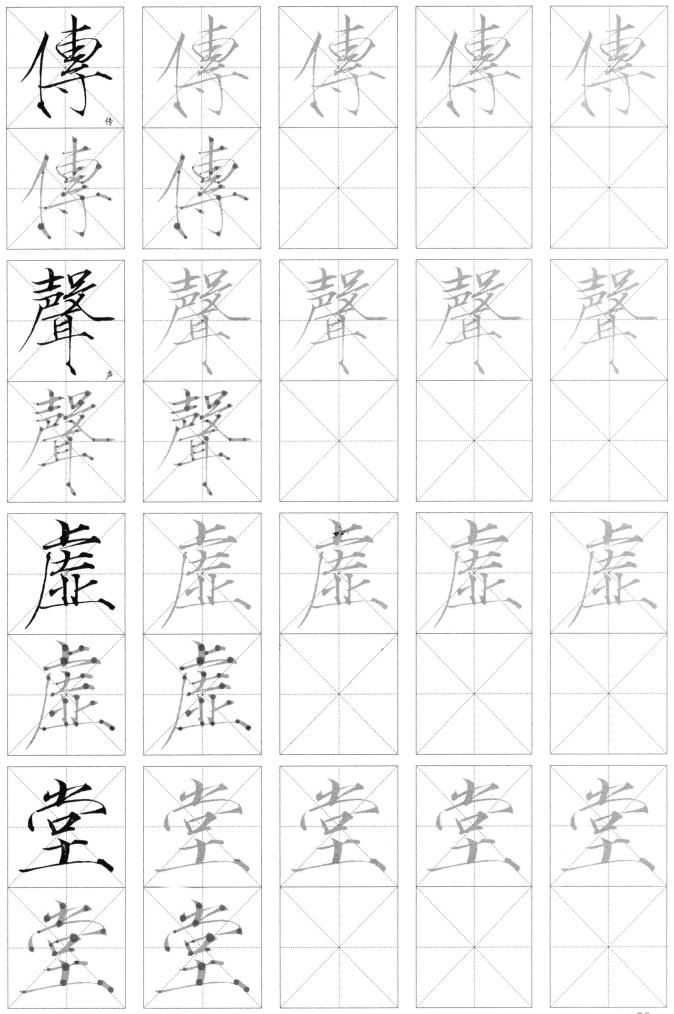

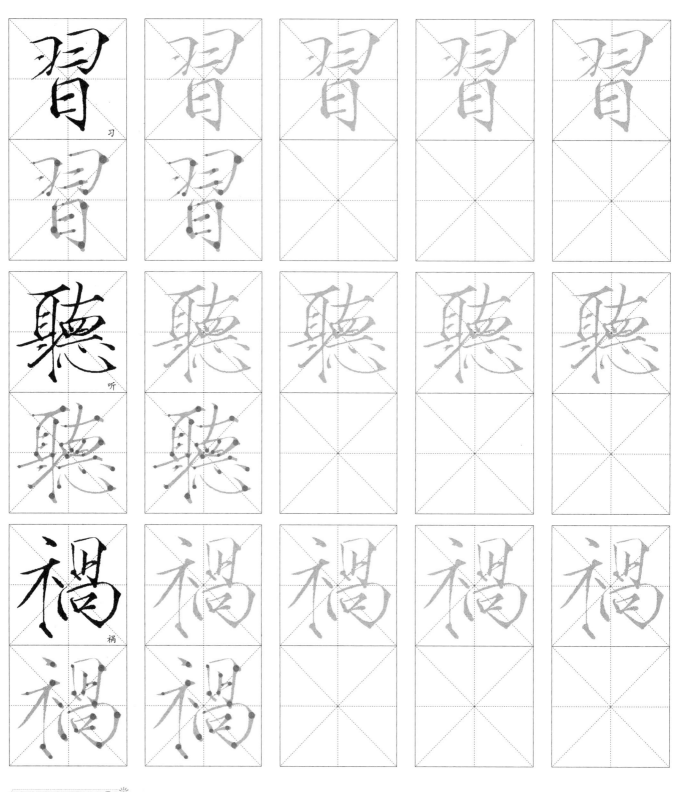

浮翠流丹　青绿、朱红的颜色在浮现和流动,形容色彩鲜明艳丽。翠:青绿色。丹:朱红色。

因

惡 恶

積 积

福

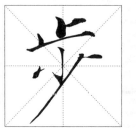

步月登云　走上月亮,攀登云霄。旧喻指科举及第,现形容志向远大。